LES CHERCHEURS DE DIEU

TOME 5

JEAN-PAUL II

Scénario : Monique Scherrer
Dessin, couleur : Michel Pierret
Lettrage : François Batet

BERNADETTE SOUBIROUS

Scénario : Isabelle de Wazières
Dessin, couleur, lettrage :
Carmen Lévi-Vial

Illustration de couverture
Étienne Jung

BAYARD JEUNESSE

Direction de la collection :
Benoit Marchon

Malgré les recherches entreprises, l'auteur des dessins de *Bernadette Soubirous*
n'a pu être retrouvé; cependant un compte d'auteur est ouvert à son nom auprès de la société Bayard Jeunesse.

© Bayard Éditions Jeunesse, 2001
© Bayard Éditions/Centurion-*Grain de soleil*,1997
ISBN : 2.227.60126.4
Dépôt légal : novembre 1997

Impression et reliure :
Pollina s.a., 85400 Luçon - n° 86419-B
3e tirage, mars 2002

JEAN-PAUL II

Karol Wojtyla est né en Pologne. Il est élu pape en 1978, à 58 ans, sous le nom de Jean-Paul II. Il succède à saint Pierre pour veiller sur la grande famille des catholiques du monde entier. « Pape », cela veut dire « père » !

Un pasteur, c'est-à-dire un berger

La première mission du pape, c'est de rappeler aux baptisés ce que veut dire leur baptême, et de les aider à rester unis. Le bâton qu'il a souvent à la main rappelle celui d'un berger qui rassemble son troupeau.

Le porteur d'une Bonne Nouvelle

En haut de ce bâton, il y a la croix de Jésus Christ. Jean-Paul II veut que les hommes la voient. Il veut que tous connaissent Jésus que Dieu leur a envoyé. C'est pourquoi il voyage dans tant de pays.

Chaque homme est précieux

Sans se lasser, Jean-Paul II répète que chaque homme, même le plus faible, doit être respecté parce que Dieu le respecte. Aux chrétiens de montrer l'exemple, surtout pour le 2 000ᵉ anniversaire de la naissance de Jésus.

**« Je vous demande,
chers jeunes, de vous charger
de prier pour la paix. »**

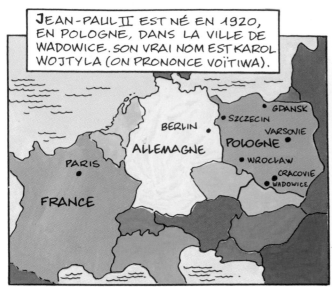

JEAN-PAUL II EST NÉ EN 1920, EN POLOGNE, DANS LA VILLE DE WADOWICE. SON VRAI NOM EST KAROL WOJTYLA (ON PRONONCE VOÏTIWA).

1931. AU COLLÈGE DE WADOWICE...

ATTENTION, KAROL!

FAIS GAFFE!

OUAIS!

BIEN JOUÉ!!

Fin du match! 3 à 2!

On a gagné!

Grâce à toi, Karol, on a évité le match nul!

TRIIIIII

Jurek, tu viens chez moi faire les devoirs?

D'accord!

Bonjour, les garçons!

Bonsoir, monsieur!

Bonsoir, p'pa! Mmm... ça sent bon le gâteau aux noix!

Allez, au travail! Au fait, tu n'oublies pas ta répétition de théâtre, Karol?

Non, ne t'inquiète pas!

Ça doit être dur pour Karol de ne plus avoir de mère!

UN PEU PLUS TARD...

"Sois fier de ton pays, cet auguste royaume!"

"J'en suis fier, ô ma reine, et cependant je tremble!"

Karol est vraiment un excellent acteur!

 CRACOVIE, 1938. KAROL S'Y INSTALLE AVEC SON PÈRE ET COMMENCE DES ÉTUDES DE PHILOSOPHIE.

C'est petit, mais ça suffira bien pour nous deux!

Ce qui est bien, c'est que l'Université est tout près!

 MAIS LA GUERRE VA BIENTÔT TOUT BOULEVERSER. HITLER A PRIS LE POUVOIR EN ALLEMAGNE ET VEUT CONQUÉRIR L'EUROPE. IL LANCE SES ARMÉES SUR LA POLOGNE.

 SEPTEMBRE 1939.

VRRRRR

Qu'est-ce que c'est? Des avions?

 BAOUUM WUUU BOUUM WUUU

N'ayez pas peur! Continuons à prier!

 C'est terrible! Notre pauvre Pologne est en train de tomber aux mains de Hitler...

WUUUUJU

 QUELQUES SEMAINES APRÈS...

AVIS! Tous les jeunes gens doivent travailler pour l'Allemagne sous peine d'être arrêtés!

 KAROL EST ENVOYÉ À L'USINE.

Quel froid! Et papa qui est en si mauvaise santé...

 Pauvre papa! Il n'a pas pu supporter tout cela! Mon Dieu, accueille-le près de Toi!

9

L'UNIVERSITÉ EST FERMÉE. POURTANT, APRÈS L'USINE, KAROL CONTINUE À ÉTUDIER...

Je voudrais être professeur de philosophie ou prêtre...

KAROL CHOISIT D'ÊTRE PRÊTRE. IL DOIT SE PRÉPARER EN CACHETTE CAR LES ALLEMANDS INTERDISENT LES SÉMINAIRES*. KAROL QUITTE SON TRAVAIL.

LE 6 AOÛT 1944...

Fouillez partout! Emmenez tous les hommes entre 15 et 50 ans!

Avancez, plus vite que ça!

On va vous apprendre à obéir dans les camps de travail!

Tout est perdu, ils montent l'escalier...

Pitié, Seigneur! Mais que ta volonté soit faite!

Pas la peine! On n'entend pas un bruit ici, l'étage est vide!

Merci, mon Dieu!

ET APRÈS LA GUERRE, EN 1946...

Karol, désormais tu es prêtre pour servir et guider le peuple des chrétiens.

Oui, avec l'aide de Dieu.

KAROL WOJTYLA EST NOMMÉ CURÉ DE SAINT-FLORIAN DE CRACOVIE. IL S'OCCUPE BEAUCOUP DES JEUNES.

Père, le gouvernement a interdit notre messe de ce soir à la cathédrale**...

Eh bien, je la célébrerai quand même... dans cette clairière, tiens!

* Ecoles pour futurs prêtres.
** Les Polonais avaient alors un gouvernement communiste. Ils avaient peu de libertés et la religion était très surveillée.

ON CONFIE À KAROL DE PLUS EN PLUS DE RESPONSABILITÉS. EN 1958, PRÈS DE CRACOVIE...

VIVE NOTRE NOUVEL ÉVÊQUE*!

ET EN 1967, AVEC LE PAPE PAUL VI...

Je te fais cardinal** Ce vêtement rouge est le signe que tu es prêt à verser ton sang pour défendre ta foi.

PLUS TARD, À NOWA HUTA, PRÈS DE CRACOVIE...

Frères chrétiens, une ville sans église est comme un corps qui ne respire pas!

Je lutterai avec vous pour que vous ayez votre église!

ET QUELQUES ANNÉES PLUS TARD...

Incroyable! Le gouvernement a tout fait pour qu'elle ne soit pas construite...

Eh oui! Mais rien ne peut étouffer la foi des Polonais!

ROME, 1978. LE NOUVEAU PAPE JEAN-PAUL 1er VIENT DE MOURIR, PEU APRÈS AVOIR SUCCÉDÉ À PAUL VI.

C'est la deuxième fois en un mois que nous venons élire un pape!

Le métier de cardinal réserve parfois des surprises!

Bonsoir! Au Vatican, on attend toujours la fumée blanche annonçant qu'un nouveau pape est élu.

LA SFUMATA!

La fumée! Elle est blanche!

Alors, maman, c'est qui le pape?

* Un évêque est le guide des catholiques d'une région.
** Les cardinaux élisent le pape et le conseillent. La plupart sont évêques.

18h43...

Nous avons un pape! C'est le cardinal Karol Wojtyla. Il a choisi de s'appeler Jean-Paul II.

Quoi? Wojti? Woilleti?

Mais de quel pays est-il?

C'est le cardinal-archevêque de Cracovie!

E IL POLACCO!

C'EST UN POLONAIS!

...Un pape venu du froid... Le premier pape venant d'un pays communiste... Un nouveau "chef d'équipe" pour les catholiques...

QUELQUES INSTANTS PLUS TARD...

Chers frères et soeurs, je suis très impressionné par cette élection, mais j'accepte avec obéissance et confiance...

VIVE JEAN-PAUL II !!

VIVA IL PAPA!

EN POLOGNE, LA JOIE ÉCLATE. MAIS LE GOUVERNEMENT COMMUNISTE EST TRÈS MÉFIANT.

Sa première messe sera en direct à là télé.

Zut, c'est l'heure où je travaille à l'usine!

Tu sais quoi? Le directeur installera un poste dans l'atelier! Incroyable, non?

LE DIMANCHE SUIVANT...

Je voudrais dire une chose aux jeunes: vous êtes l'avenir du monde, l'Église compte très fort sur vous!

TRÈS VITE, DES CATHOLIQUES DE TOUS LES PAYS ENVOIENT DES INVITATIONS AU PAPE.

Et nous ferons escale à Saint-Domingue : c'est la première terre américaine qui est devenue chrétienne !

Saint Père, votre premier voyage sera au Mexique.

ET LE 25 JANVIER 1979...

LE LENDEMAIN, À MEXICO...

Dis, maman... pourquoi il embrasse le sol ?

C'est pour montrer que Dieu aime aussi les habitants de notre pays !

VIVA EL PAPA !

Merci de votre accueil ! Je suis venu vous écouter, surtout ceux d'entre vous qui sont trop pauvres pour se faire entendre !

EN 1980, JEAN-PAUL II VOYAGE EN FRANCE. LE DIMANCHE 1er JUIN, IL CÉLÈBRE UNE MESSE AU BOURGET (PRÈS DE PARIS) DEVANT 250 000 PERSONNES.

Avec tes amis, reçois le corps du Christ pour la première fois.

Amen !

CHEZ LUI, AU VATICAN, JEAN-PAUL II A UN EMPLOI DU TEMPS BIEN REMPLI.

5h30 DU MATIN. GYMNASTIQUE.

7h : MESSE AVEC DES INVITÉS.

8h : PETIT DÉJEUNER.

9h30 : TRAVAIL.

12h30 : RENCONTRE AVEC DES CHRÉTIENS VENUS DU MONDE ENTIER.

22h30 : TRAVAIL ... OU PRIÈRE.

16h30 : VISITE DANS L'UNE DES 293 ÉGLISES DE ROME DONT IL EST L'ÉVÊQUE.

MERCREDI 13 MAI 1981, 17h15. JEAN-PAUL II REÇOIT DES PÈLERINS PLACE SAINT-PIERRE.

Bonjour, monsieur le pape!

Nous vous attendons dans notre pays!

PAN PAN

OOOH!

ON A TIRÉ SUR LE PAPE!

MAIS POURQUOI?!

Il est blessé! AU SECOURS!! Un médecin!

UNE AMBULANCE, VITE!!

QUELQUES SECONDES PLUS TARD...

Prions pour lui! "Je vous salue Marie"...

VITE, à la clinique Gemelli! Il perd beaucoup de sang!

PIN PON PIN PON

15

VERS MINUIT, À LA CLINIQUE...

Le pape vient d'être opéré pendant plus de cinq heures. Il a été très sérieusement touché au ventre. Mais il semble sauvé.

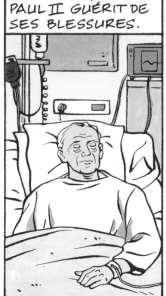

PEU À PEU, JEAN-PAUL II GUÉRIT DE SES BLESSURES.

TROIS MOIS PLUS TARD...

Bon retour chez vous, Saint-Père ! Ne vous fatiguez pas trop !

Merci ! Mais j'ai beaucoup de travail à rattraper !

FÉVRIER 1982. MOINS D'UN AN APRÈS L'ATTENTAT, JEAN-PAUL II REPART EN VOYAGE. DIRECTION : L'AFRIQUE.

Le Nigéria vous accueille... par 38°C à l'ombre !

La chaleur est aussi dans l'accueil ! Vous me recevez vraiment comme un frère !

27 DÉCEMBRE 1983. JEAN-PAUL II DÉCIDE DE RENDRE VISITE À SON AGRESSEUR, EN PRISON*.

Ouvrez la cellule d'Ali Agça !

Bien, monsieur le directeur.

Tu te rends compte ! Il est venu pour lui pardonner...

Dommage qu'on ne puisse pas entendre ce qu'ils se disent !

* C'est un Turc. Les raisons de son acte restent mystérieuses : complot international ou geste d'un fou ?

INFATIGABLE, JEAN-PAUL II FAIT UN VOYAGE EN INDE EN FÉVRIER 1986. IL Y RENCONTRE LE DALAÏ-LAMA, LE CHEF DES BOUDDHISTES TIBÉTAINS*.

Je suis heureux de vous rencontrer. Nous n'avons pas la même foi, mais nous prions tous pour la même paix !

Justement, je vous donne rendez-vous en Italie, à Assise. Avec des croyants de toutes les religions, nous voulons faire une journée mondiale de la paix.

ET LE 27 OCTOBRE...

Bienvenue à Assise. Aujourd'hui, le bruit des armes va se calmer un peu dans le monde.

Et nous prierons les uns à côté des autres!

C'est un moment historique! Les religions ne se font plus la guerre!

Saint François, nous sommes dans ta ville. Prie avec nous pour la paix du monde!

* Le Tibet est un pays d'Asie. Ses habitants suivent les conseils de vie de Bouddha, un grand sage indien du 6ᵉ siècle avant Jésus Christ.

QUELQUES MOIS PLUS TARD, AU VATICAN...

Vous savez que la Pologne est toujours étouffée par un gouvernement communiste ...Oui ... Les Polonais résistent...

Je veux leur rendre visite, les encourager. C'est mon pays!

À Varsovie, j'aimerais m'incliner sur la tombe du Père Popieluszko*. On l'a assassiné parce qu'il était chrétien.

ET EN JUIN 1987...

Que cet homme nous serve d'exemple pour croire en toi, Seigneur...

JERZY POPIELU

J'aurais tant voulu visiter vos frères de Lituanie*! Mais les autorités ne me laissent pas entrer.

MAIS QUELQUES ANNÉES PLUS TARD, LES GOUVERNEMENTS COMMUNISTES DE L'EUROPE S'EFFONDRENT. ET EN SEPTEMBRE 1993...

Le voilà enfin chez nous, lui qui a tant défendu notre Lituanie!

Il est chez lui aussi! La famille de sa mère était d'ici.

Voyez la Colline des Croix! Les Lituaniens les ont plantées pour montrer leur foi alors qu'on les persécutait.

* L'histoire du père Popieluszko est parue dans l'album BD, *Les chercheurs de Dieu*, tome 3, Bayard Editions/ Grain de Soleil.
** La Lituanie est située au nord-est de l'Europe. En 1987, elle était occupée par l'URSS.

À LA FIN DE 1994...

Je termine une lettre aux enfants du monde.

À l'occasion de Noël?

Oui. C'est la fête de Jésus enfant, c'est donc leur fête!

"Jeunes amis, je compte beaucoup sur votre prière, elle a une grande force..."

LETTRE AUX ENFANTS

QUELQUES SEMAINES PLUS TARD...

Saint-Père, vous en avez de la chance de recevoir tout ce courrier d'enfants!

Cher Pape, avec toutes les tournées que tu fais, soigne-toi bien. Vincent

On est d'accord pour prier pour la paix.

Vous êtes quelqu'un de connu et de savant, mais trop éloigné de nous...

C'est facile de dire de prier chaque jour, mais comme c'est difficile d'être chrétien! Fortunée

Est-ce que la vie est dure pour vous? Enfin je veux dire pour un pape.

EN JANVIER 1995, JEAN-PAUL II SE REND AUX PHILIPPINES, EN ASIE.

4 millions de personnes!

Fantastique! C'est la plus grande messe de tous les temps!

EN JUIN 1995, IL RENCONTRE LE PATRIARCHE ORTHODOXE* BARTHOLOMEOS 1er.

Les catholiques et les orthodoxes ne doivent plus se méfier les uns des autres.

Oui, il est temps qu'ils mettent fin à leurs divisions. Préparons ensemble l'an 2000!

La santé du Pape est moins solide qu'avant. Mais il continue courageusement son travail et ses voyages. Il est venu en France en septembre 1996 pour l'anniversaire du baptême de Clovis et en août 1997 pour les 12e Journées Mondiales de la Jeunesse.

* Le patriarche Bartholomeos est le principal chef religieux des chrétiens orthodoxes. Les catholiques et les orthodoxes sont séparés depuis 1054.

DANS LE VILLAGE DE LOURDES (HAUTES PYRÉNÉES), EN 1858.

AH, LA PAUVRE PETITE BERNADETTE, SA FAMILLE N'A PAS DE CHANCE ! ILS VIVENT À SIX DANS CET ANCIEN CACHOT, QUELLE MISÈRE !

QUAND JE PENSE QUE SON PÈRE ÉTAIT MEUNIER DANS UN BEAU MOULIN !

MAIS IL ÉTAIT TROP BON AVEC TOUS CEUX QUI NE POUVAIENT PAS LUI PAYER SA FARINE...

ET PUIS ON L'A ACCUSÉ D'AVOIR VOLÉ DE LA FARINE POUR SE NOURRIR ET IL EST ALLÉ EN PRISON.

MAINTENANT, ELLE EST REVENUE POUR ALLER À L'ÉCOLE ET FAIRE SA PREMIÈRE COMMUNION ICI.

C'EST VRAI QU'ELLE VA SUR SES QUATORZE ANS !

IL LEUR DISAIT : "VOUS PAIEREZ QUAND VOUS POURREZ", ET POUR FINIR IL NE RECEVAIT JAMAIS D'ARGENT !

PENDANT CE TEMPS, BERNADETTE GARDAIT LES MOUTONS CHEZ SA NOURRICE.[1]

ÇA FAISAIT UNE BOUCHE DE MOINS À NOURRIR.

CHUT, LA VOILA !

1. Une nourrice s'occupait de Bernadette, car sa maman avait eu un accident et n'avait plus de lait pour la nourrir.

26

LE JEUDI 11 FÉVRIER...

MON DIEU, TOINETTE, IL N'Y A PLUS DE BOIS!

J'Y VAIS!

MOI AUSSI! TU VIENS EN RAMASSER AVEC TA SOEUR?

NON BERNADETTE, TU N'IRAS PAS. TU VAS ATTRAPER FROID, IL Y A DU BROUILLARD DEHORS.

MAIS NON, NE T'INQUIÈTE PAS POUR MOI!

BON, VAS-Y, MAIS AVEC TON ASTHME [1], CE N'EST PAS PRUDENT! METS-TOI AU MOINS ÇA SUR LA TÊTE.

ALLONS DU CÔTÉ DE MASSABIELLE : LE GAVE [2] REJETTE SOUVENT DU BOIS MORT.

ATTENDEZ-MOI, JE NE PEUX PAS TRAVERSER PIEDS NUS, COMME VOUS. JE RISQUE D'ÊTRE MALADE!

AIDEZ-MOI À JETER DES PIERRES DANS L'EAU, QUE JE PASSE!

IL VA FALLOIR QUE JE ME DÉBROUILLE TOUTE SEULE.

QUE SE PASSE-T-IL?

1. L'asthme est une maladie des poumons qui empêche de bien respirer.

2. Un gave est le nom donné à un torrent par les gens des Pyrénées.

MAIS QUI EST CETTE DAME QUI ME SOURIT DANS LA GROTTE ?

ELLE EST FOLLE DE PRIER LÀ. C'EST BIEN ASSEZ DE PRIER À L'ÉGLISE !

DIS-MOI CE QUI T'EST ARRIVÉ ! TU AS VU QUELQUE CHOSE ?

ALLEZ, DIS-MOI, JE TE PROMETS QUE JE N'EN PARLERAI À PERSONNE. MÊME PAS À MAMAN !

TU VEUX ME FAIRE PEUR AVEC TON HISTOIRE. JE NE TE CROIS PAS !

3

À LA MAISON...

OH! LA LA! VOUS AVEZ PLEIN DE BRINDILLES DANS LES CHEVEUX!

VOUS DEVEZ AVOIR FAIM! TIENS, BERNADETTE, VIENS MANGER TON PAIN BLANC.[1]

HUM, HUM!

EH BIEN, TOINETTE, TU ES MALADE?

NON, MAIS VOUS SAVEZ CE QUE BERNADETTE M'A RACONTÉ COMME BÊTISE? ELLE M'A DIT QU'IL Y AVAIT QUELQUE CHOSE DE BLANC AVEC UN CHAPELET[2], DANS LA GROTTE DE MASSABIELLE!

QU'EST-CE QUE TU ME RACONTES LA! C'EST VRAI, BERNADETTE?

MAIS JE T'ASSURE! C'EST VRAI MAMAN, J'AI VU DU BLANC!

TU N'AS VU QU'UNE PIERRE BLANCHE, ET JE VOUS DÉFENDS D'Y RETOURNER!

PERSONNE NE ME CROIT. ...ET POURTANT C'EST VRAI...

1. Le pain blanc à la farine de blé coûtait cher : on le réservait aux gens fragiles, car il était meilleur pour la santé.

2. Un chapelet ressemble à un collier de perles qu'on tient entre les doigts. On récite une prière à chaque perle.

LE DIMANCHE SUIVANT, À LA SORTIE DE LA MESSE...

VOUS NE SAVEZ PAS, JE VAIS VOUS DIRE UN SECRET À NE RÉPÉTER À PERSONNE. MA SOEUR BERNADETTE A VU...

MONSIEUR SOUBIROUS! MONSIEUR SOUBIROUS!

MONSIEUR SOUBIROUS, TOINETTE NOUS A RACONTÉ QUE BERNADETTE AVAIT VU UNE DAME BLANCHE, AVEC UN CHAPELET!

VOUS PERMETTEZ QUE BERNADETTE RETOURNE À LA GROTTE AVEC NOUS?

JE NE VEUX PLUS ENTENDRE PARLER DE CETTE HISTOIRE!

UNE DAME AVEC UN CHAPELET, ÇA NE PEUT RIEN ÊTRE DE MAUVAIS!

BON... D'ACCORD! ALLEZ-Y, MAIS JE NE VOUS DONNE QU'UN QUART D'HEURE!

À LA GROTTE...

LA VOILÀ, LE CHAPELET AU BRAS. ELLE VOUS REGARDE!

MAIS ON NE VOIT RIEN!

RESTEZ SI VOUS ÊTES ENVOYÉE PAR DIEU, SINON, ALLEZ VOUS-EN!

ALORS?

QU'EST-CE QU'ELLE T'A DIT?

ELLE N'A RIEN RÉPONDU MAIS ELLE A SOURI!

PLUS TARD...

BERNADETTE, QUE FAIS-TU LÀ? IL FAUT RENTRER CHEZ TOI!

5

A L'ÉCOLE, QUELQUES JOURS PLUS TARD...

C'EST TOI QUI FAIT DES COMÉDIES A LA GROTTE!

TIENS! ET SI TU Y RETOURNES ENCORE, TU SERAS ENFERMÉE!

LE LENDEMAIN, MADAME MILHET, CHEZ QUI TRAVAILLE MADAME SOUBIROUS, VIENT VOIR BERNADETTE.

J'AI ENTENDU DIRE QUE TU AVAIS VU UNE DAME A LA GROTTE DE MASSABIELLE!

D'APRÈS CE QU'ON RACONTE, CETTE DAME RESSEMBLE A ELISA LATAPIE. VOUS SAVEZ, CETTE JEUNE FILLE TRÈS CROYANTE QUI A ÉTÉ ENTERRÉE AVEC UNE ROBE BLANCHE ET UN CHAPELET.

J'AIMERAIS BIEN ALLER A LA GROTTE AVEC BERNADETTE POUR SAVOIR SI C'EST VRAIMENT ELLE.

MAIS FAITES DONC!

LA VOILA!

DEMANDE-LUI D'ÉCRIRE SON NOM.

MAIS IL N'Y A RIEN D'ÉCRIT DESSUS! TU NE LUI AS PAS POSÉ LA QUESTION?

SI, MAIS ELLE M'A RÉPONDU QUE CE N'ÉTAIT PAS NÉCESSAIRE. ELLE M'A DEMANDÉ DE REVENIR ICI SOUVENT. J'AI DIT OUI.

ET SI C'ÉTAIT LA VIERGE MARIE...

6

UN DIMANCHE...

C'EST ELLE, COMMISSAIRE !

SUIS-MOI !

PAUVRE BERNADETTE ! ON VA TE METTRE EN PRISON !

JE N'AI PAS PEUR. S'ILS M'Y METTENT, ILS M'EN SORTIRONT.

ECOUTE BERNADETTE, TOUT LE MONDE RIT DE TOI. RECONNAIS QUE TU N'AS RIEN VU !

MONSIEUR, J'AI VU, JE NE PEUX PAS DIRE AUTREMENT !

HOTEL DE POLICE

LE JOUR DE LA NEUVIÈME APPARITION...

MAIS QU'EST-CE QUI T'EST ARRIVÉ ?

LA DAME M'A DIT : "ALLEZ BOIRE À LA FONTAINE ET ALLEZ VOUS Y LAVER". J'AI JETÉ L'EAU TROIS FOIS AVANT D'Y ARRIVER, TELLEMENT ELLE ÉTAIT SALE.

JE L'AI FAIT POUR TOUS CEUX QUI SONT LOIN DE DIEU.

REGARDEZ, PLUS JE CREUSE, PLUS L'EAU EST CLAIRE !

C'EST UNE SOURCE !

7

PLUS TARD...

Le Lavedan

MIRACLE À LOURDES

UNE FEMME PLONGE SES DOIGTS PARALYSÉS DANS LA SOURCE DÉCOUVERTE PAR BERNADETTE: ELLE EST GUÉRIE !

LE 2 MARS.

LA DAME M'A DIT: "ALLEZ DIRE AUX PRÊTRES DE FAIRE BÂTIR ICI UNE CHAPELLE."

TU NE SAIS TOUJOURS PAS COMMENT S'APPELLE CETTE DAME? ALORS DEMANDE-LUI SON NOM !

LE LENDEMAIN MATIN, LA DAME N'APPARAÎT PAS À BERNADETTE.

MAIS QUELQUES JOURS PLUS TARD...

MONSIEUR LE CURÉ, LA DAME VEUT TOUJOURS LA CHAPELLE. JE LUI AI DEMANDÉ SON NOM, MAIS ELLE N'A FAIT QUE SOURIRE.

ELLE SE MOQUE DE TOI ! SI ELLE VEUT LA CHAPELLE, QU'ELLE DISE SON NOM ET FASSE FLEURIR LE ROSIER [1] DE LA GROTTE. ALORS, NOUS FERONS BÂTIR UNE GRANDE CHAPELLE !

8

1. La Vierge Marie avait fait fleurir la montagne en plein hiver, à Guadalupe, au Mexique, au 16e siècle.

LE 25 MARS, JOUR DE L'ANNONCIATION,[1] AU PETIT MATIN...

MADEMOISELLE, VOULEZ-VOUS AVOIR LA BONTÉ DE ME DIRE QUI VOUS ÊTES, S'IL VOUS PLAIT ?

IMMACULÉE CONCEPTION IMMACULÉE CONCEP...TION.

ALORS, ELLE T'A ENFIN DIT SON NOM ?

ELLE M'A DIT : JE SUIS L'IMMACULÉE CONCEPTION !

UNE DAME NE PEUT PAS PORTER CE NOM-LÀ ! TU SAIS CE QUE ÇA VEUT DIRE ?

NON, JE NE SAIS PAS, MAIS J'AI RÉPÉTÉ TOUT LE LONG DU CHEMIN.

RENTRE CHEZ TOI, JE TE VERRAI UN AUTRE JOUR.

"IMMACULÉE CONCEPTION : LA VIERGE MARIE EST APPELÉE COMME CELA, CAR ON DIT QUE, DÈS SA NAISSANCE, ELLE A ÉTÉ PRÉSERVÉE DE TOUT PÉCHÉ."

9

1. L'annonciation est une fête. Elle rappelle le message que l'Ange Gabriel a transmis à la Vierge Marie pour lui annoncer qu'elle serait la mère de Jésus, le Fils de Dieu.

PLUS TARD...

MONSIEUR LE CURÉ TE DÉFEND D'ALLER A LA GROTTE. MAIS SI LA VIERGE T'ORDONNAIT D'Y ALLER, QUE FERAIS-TU ?

JE REVIENDRAI DEMANDER LA PERMISSION A MONSIEUR LE CURÉ !

A LA GROTTE...

TROP D'ENFANTS DISENT QU'ILS ONT VU LA VIERGE !

IL FAUT INTERDIRE L'ENTRÉE ET DONNER DES AMENDES AUX VISITEURS !

MALGRÉ CELA, LE 16 JUILLET, BERNADETTE VOIT L'APPARITION. C'EST LA DERNIÈRE FOIS. ELLE AURA VU LA VIERGE DIX-HUIT FOIS EN CINQ MOIS !

REGARDE CE QUE DES RICHES VISITEURS M'ONT DONNÉ POUR ALLER CHERCHER DE L'EAU A LA GROTTE !

TIENS, VA RENDRE CETTE PIÈCE TOUT DE SUITE !

UN JOURNALISTE DU "COURRIER FRANÇAIS" DE PARIS VIENT L'INTERVIEWER.

ON S'OCCUPE BEAUCOUP DE VOUS, DANS LE PAYS. CELA VOUS FAIT PLAISIR ?

ÇA M'EST ÉGAL !

ECOUTEZ, BERNADETTE, IL FAUT VENIR A PARIS AVEC MOI, ET DANS TROIS SEMAINES, VOUS SEREZ RICHE !

OH, NON, NON, JE VEUX RESTER PAUVRE !

10

35

L'ÉTÉ 1860, BERNADETTE A 16 ANS, ET ELLE TOUSSE TOUJOURS. SON ASTHME LA FATIGUE BEAUCOUP.

LES RELIGIEUSES DE L'HOSPICE VONT ACCUEILLIR BERNADETTE EN TANT QUE MALADE.

ET VOUS, MES SOEURS, VOUS LUI DONNEREZ DE L'INSTRUCTION DANS VOTRE ÉCOLE.

TRÈS BIEN, MONSIEUR LE MAIRE.

RASSUREZ-VOUS, MONSIEUR SOUBIROUS, VOTRE FILLE IRA VOUS VOIR LIBREMENT, MAIS ACCOMPAGNÉE D'UNE SOEUR.

ICI, JE SERAI TRANQUILLE. ON NE ME POSERA PLUS DE QUESTIONS!

MAIS BIENTÔT...

VOICI LA PETITE QUI SE VANTE D'AVOIR VU LA VIERGE!

TENEZ, VOUS PRIEREZ LA VIERGE POUR MOI!

NON MERCI, JE NE PEUX PAS ACCEPTER.

BERNADETTE, IL FAUT ACCEPTER POUR PERMETTRE D'AIDER LES PAUVRES.

A L'HOSPICE, BERNADETTE EST UNE PETITE FILLE COMME LES AUTRES.

TU AS VU CES BELLES FRAISES, JULIE? JE JETTE MON SABOT PAR LA FENÊTRE! TU VAS LE CHERCHER, ET TU RAMÈNES DES FRAISES!

TU VEUX RESPIRER UN PEU DE TABAC? MOI, J'EN PRENDS POUR MON ASTHME. ESSAIE!

HI! HI! HI!

ATCHOUM!

HI! HI!

BERNADETTE, ENLÈVE CETTE ROBE! ELLE NE TE VA PAS!

POURQUOI? ELLE EST TRÈS BIEN, JE LA GARDE!

CETTE FEMME IVRE EST TOMBÉE LA TÊTE LA PREMIÈRE DANS LE FEU.

IL NE FAUDRA PAS TANT BOIRE DORÉNAVANT!

C. Levi

11

UN JOUR...

BERNADETTE, CE MONSIEUR VOUDRAIT TE PARLER !

JE ME PRÉSENTE : JOSEPH FABISCH. JE SUIS SCULPTEUR. ON M'A DEMANDÉ DE FAIRE UNE STATUE DE LA VIERGE, D'UNE MANIÈRE AUSSI EXACTE QUE POSSIBLE, CAR ELLE SERA PLACÉE DANS LA GROTTE DE LOURDES.

POUVEZ-VOUS ME LA DÉCRIRE ? PAR EXEMPLE, COMMENT A-T-ELLE JOINT LES MAINS EN DISANT "JE SUIS L'IMMACULÉE CONCEPTION ?"

COMME CELA !

ET QUELQUES JOURS AVANT L'INAUGURATION DE LA STATUE...

EST-CE BIEN CELA, BERNADETTE ?

C'EST BIEN CELA... EH BIEN NON, CE N'EST PAS CELA !

ET EN SEPTEMBRE 1879...

MA CHÈRE COUSINE, J'AIME BEAUCOUP LES PAUVRES, J'AIME SOIGNER LES MALADES. JE VEUX ÊTRE RELIGIEUSE.

CHEZ LES RELIGIEUSES DE NEVERS...

J'HÉSITE À ACCUEILLIR BERNADETTE. SA CÉLÉBRITÉ RISQUE DE PERTURBER NOTRE MAISON.

MA MÈRE, CE SERA UN DES PLUS GRANDS BONHEURS DE MA VIE DE VOIR CELLE QUI A RENCONTRÉ LA SAINTE VIERGE.

ACCUEILLONS-LA PARMI NOUS !

ET JUSTE AVANT LE DÉPART POUR NEVERS...

TENEZ, JE VOUS DONNE TOUT CE QUE J'AI !

TU N'AS RIEN OUBLIÉ DANS TON TROUSSEAU[1] ?

NON, MAMAN ! VOUS ÊTES BIEN BONNES, MA TANTE ET TOI, DE PLEURER. JE NE PEUX PAS TOUJOURS RESTER ICI.

12

1. Le trousseau était le linge que la future religieuse devait emporter au couvent.

ET LE 7 JUILLET 1866...

NOUS SOMMES ARRIVÉES A NEVERS !

BONSOIR, BIENVENUE CHEZ NOUS !

DEMAIN DIMANCHE, VOUS SEREZ PRÉSENTÉES AUX AUTRES SOEURS.

BERNADETTE, RACONTE-NOUS CE QUE TU AS VU A LA GROTTE.

LA PREMIÈRE FOIS QUE J'Y SUIS ALLÉE, J'ALLAIS RAMASSER DU BOIS AVEC MA SOEUR ET UNE AMIE...

ET BERNADETTE RACONTE TOUTE SON HISTOIRE.

MERCI BERNADETTE !

DÉSORMAIS, PLUS PERSONNE NE POSERA DE QUESTIONS A BERNADETTE A CE SUJET !

HABILLÉE COMME CELA, ON NE TE RECONNAITRA PLUS !

TANT MIEUX ! JE SUIS VENUE ICI POUR ME CACHER.

C'EST RATÉ ! J'ENTENDS DÉJA LES COUPS DE SONNETTES DES VISITEURS QUI VEULENT TE VOIR !

JE VOUS CONFIE A SOEUR EMILIENNE DUBOÉ. ELLE VOUS GUIDERA DANS VOTRE NOUVELLE VIE !

C'EST DUR DE QUITTER LOURDES... DONNEZ-MOI DU COURAGE POUR CHAQUE JOUR.

13

ET LES PREMIÈRES SEMAINES...

AU DÉBUT, QUAND JE RECEVAIS UNE LETTRE DE CHEZ MES PARENTS, J'ATTENDAIS D'ÊTRE SEULE POUR L'OUVRIR, CAR JE ME SENTAIS INCAPABLE DE LA LIRE SANS PLEURER.

MOI AUSSI.

MAIS BIENTÔT...

JE NE TE CROYAIS PAS CAPABLE DE GOBER UN OEUF!

ET HOP, VOILA! AH, AH, AH!

HA, HA, HA!!!

ENCORE BERNADETTE! QUEL CLOWN!

MAIS LE 15 AOÛT, BERNADETTE TOMBE MALADE.

TENEZ, IL FAUT MANGER!

TEUH, TEUH! JE N'AI PAS FAIM. MAIS VOUS, REPOSEZ-VOUS DANS CE FAUTEUIL!

L'ÉVÊQUE VIENT LA VOIR.

VOUS ÊTES TRÈS MALADE, BERNADETTE. LES SOEURS M'ONT DIT QUE VOUS DÉSIRIEZ PRONONCER VOS VOEUX PERPÉTUELS.[1]

OUI, MONSEIGNEUR ...MAIS JE N'EN AI PAS LA FORCE.

JE VAIS LES PRONONCER À VOTRE PLACE ET VOUS N'AUREZ PLUS QU'À DIRE "AMEN".

OUI...

QUELQUES HEURES PLUS TARD...

JE ME SENS MIEUX. L'HEURE DE MA MORT N'EST PAS ENCORE VENUE!

14

1. Les vœux perpétuels sont une promesse de fidélité à Dieu pour toute la vie.

39

LE 30 OCTOBRE 1867...

BERNADETTE, VOUS VOUS APPELEREZ DÉSORMAIS SŒUR MARIE-BERNARD.

MAINTENANT, JE VAIS VIVRE TOUTE MA VIE POUR DIEU.

SŒUR EMILIENNE, VOUS IREZ AU COUVENT¹ DE CLERMONT-FERRAND.

ET SŒUR MARIE-BERNARD, OÙ L'ENVOYONS-NOUS ?

MONSEIGNEUR, ELLE N'EST BONNE À RIEN ! COMME ELLE EST PRESQUE TOUJOURS MALADE, NOUS POUVONS LA GARDER ICI POUR LES PETITS TRAVAUX DE L'INFIRMERIE.

JE SUIS DÉÇUE D'ALLER À CLERMONT-FERRAND !

NE TE PLAINS PAS ! J'AURAIS ÉTÉ HEUREUSE DE POUVOIR ALLER TRAVAILLER, AU LIEU D'ÊTRE OBLIGÉE DE RESTER ICI À NE RIEN FAIRE !

TU PRIERAS POUR NOUS !

BERNADETTE DEVIENT AIDE-INFIRMIÈRE.

QUAND ON SOIGNE UN MALADE, IL FAUT SE RETIRER AVANT DE RECEVOIR UN REMERCIEMENT. C'EST DÉJÀ UN HONNEUR DE LES SOIGNER !

N'OUBLIE PAS, JULIE, DE VOIR JÉSUS DANS LA PERSONNE DU PAUVRE. PLUS LE PAUVRE EST REPOUSSANT, PLUS IL FAUT L'AIMER !

REGARDE, J'AI ÉCRIT À MA SŒUR DE NE PAS PRENDRE UN COMMERCE D'OBJETS RELIGIEUX À LOURDES, MAIS ELLE NE M'ÉCOUTE PAS. MON FRÈRE A FAIT LA MÊME CHOSE. QUELLE DÉCEPTION !

15

1. Un couvent est une maison où vivent ensemble des religieuses.

EN AVRIL 1879, ELLE RETOMBE GRAVEMENT MALADE...

JE VAIS MOURIR... ET SI JE M'ÉTAIS TROMPÉE DEPUIS LE DÉBUT, SI JE N'AVAIS RIEN VU À LA GROTTE?...

NON, JE NE ME SUIS PAS TROMPÉE! LA DAME DE LA GROTTE M'AVAIT BIEN DIT: "JE NE VOUS PROMETS PAS DE VOUS RENDRE HEUREUSE DANS CE MONDE, MAIS DANS L'AUTRE".

LE PÈRE SEMPÉ VOUDRAIT VOUS INTERROGER POUR ÉCRIRE LA VÉRITABLE HISTOIRE DES APPARITIONS.

QU'IL LISE CE QUE J'AI DIT LA PREMIÈRE FOIS. CE QU'ON ÉCRIRA DE PLUS SIMPLE SERA LE MEILLEUR.

LE 16 AVRIL 1879.

SAINTE MARIE, MÈRE DE DIEU, PRIEZ POUR MOI...

J'AI SOIF...

C'EST FINI...

54 ANS PLUS TARD, BERNADETTE SERA DÉCLARÉE SAINTE. ET AUJOURD'HUI À LOURDES...

À LOURDES, C'EST FORMIDABLE. ON PARLE AVEC DES CHRÉTIENS DU MONDE ENTIER. ON SE SENT TOUS TRÈS PROCHES. C'EST POUR CELA QUE JE VIENS AIDER ICI PENDANT MES VACANCES.

JE VIENS PRIER MARIE À LA GROTTE TOUS LES ANS. J'ESPÈRE UN JOUR ÊTRE GUÉRI. JE TROUVE ICI DES NOUVELLES RAISONS DE VIVRE.

VOUS VOUS RENDEZ COMPTE, PLUS DE QUATRE MILLIONS DE VISITEURS VIENNENT À LOURDES CHAQUE ANNÉE !

FIN

16

Dans la même collection
LES CHERCHEURS DE DIEU

et aussi
Jésus en bande dessinée